Want free goodies?
Email us at prayer@inspiredtograce.com

 @inspiredtograce

 Inspired To Grace

Shop our other books at
www.inspiredtograce.com

Wholesale distribution through Ingram Content Group
www.ingramcontent.com/publishers/distribution/wholesale

For questions and customer service, email us at
support@inspiredtograce.com

DATE:

TODAY'S VERSE

REFLECTIONS

PRAYERS

GRATITUDE

DATE:

TODAY'S VERSE

REFLECTIONS

PRAYERS

GRATITUDE

> DATE:

TODAY'S VERSE

REFLECTIONS

PRAYERS

GRATITUDE

DATE:

TODAY'S VERSE

REFLECTIONS

PRAYERS

GRATITUDE

DATE:

TODAY'S VERSE

REFLECTIONS

PRAYERS

GRATITUDE

DATE:

TODAY'S VERSE

REFLECTIONS

PRAYERS

GRATITUDE

DATE:

TODAY'S VERSE

REFLECTIONS

PRAYERS

GRATITUDE

DATE:

TODAY'S VERSE

REFLECTIONS

PRAYERS

GRATITUDE

DATE:

TODAY'S VERSE

REFLECTIONS

PRAYERS

GRATITUDE

DATE:

TODAY'S VERSE

_____
_____
_____
_____
_____
_____
_____
_____
_____
_____
_____

REFLECTIONS

_____
_____
_____
_____
_____
_____
_____
_____
_____
_____
_____

PRAYERS

_____
_____
_____
_____
_____
_____
_____
_____

GRATITUDE

_____
_____
_____
_____
_____
_____

TODAY'S VERSE

REFLECTIONS

PRAYERS

GRATITUDE

DATE:

TODAY'S VERSE

REFLECTIONS

PRAYERS

GRATITUDE

DATE:

TODAY'S VERSE

REFLECTIONS

PRAYERS

GRATITUDE

DATE:

TODAY'S VERSE

REFLECTIONS

PRAYERS

GRATITUDE

DATE:

TODAY'S VERSE

REFLECTIONS

PRAYERS

GRATITUDE

TODAY'S VERSE

REFLECTIONS

PRAYERS

GRATITUDE

DATE:

TODAY'S VERSE

REFLECTIONS

PRAYERS

GRATITUDE

DATE:

TODAY'S VERSE

REFLECTIONS

PRAYERS

GRATITUDE

DATE:

TODAY'S VERSE

REFLECTIONS

PRAYERS

GRATITUDE

DATE:

TODAY'S VERSE

REFLECTIONS

PRAYERS

GRATITUDE

DATE:

TODAY'S VERSE

REFLECTIONS

PRAYERS

GRATITUDE

DATE:

TODAY'S VERSE

REFLECTIONS

PRAYERS

GRATITUDE

DATE:

TODAY'S VERSE

REFLECTIONS

PRAYERS

GRATITUDE

DATE:

TODAY'S VERSE

REFLECTIONS

PRAYERS

GRATITUDE

DATE:

TODAY'S VERSE

REFLECTIONS

PRAYERS

GRATITUDE

DATE:

TODAY'S VERSE

REFLECTIONS

PRAYERS

GRATITUDE

DATE:

TODAY'S VERSE

_____
_____
_____
_____
_____
_____
_____
_____
_____
_____
_____
_____

REFLECTIONS

_____
_____
_____
_____
_____
_____
_____
_____
_____
_____
_____
_____
_____
_____
_____
_____

PRAYERS

_____
_____
_____
_____
_____
_____
_____

GRATITUDE

_____
_____
_____
_____
_____
_____

DATE:

TODAY'S VERSE

REFLECTIONS

PRAYERS

GRATITUDE

DATE:

TODAY'S VERSE

REFLECTIONS

PRAYERS

GRATITUDE

DATE:

TODAY'S VERSE

REFLECTIONS

PRAYERS

GRATITUDE

TODAY'S VERSE

REFLECTIONS

PRAYERS

GRATITUDE

DATE:

TODAY'S VERSE

REFLECTIONS

PRAYERS

GRATITUDE

TODAY'S VERSE

REFLECTIONS

PRAYERS

GRATITUDE

DATE:

TODAY'S VERSE

_____
_____
_____
_____
_____
_____
_____
_____
_____
_____
_____

REFLECTIONS

_____
_____
_____
_____
_____
_____
_____
_____
_____
_____
_____

PRAYERS

_____
_____
_____
_____
_____
_____

GRATITUDE

_____
_____
_____
_____
_____
_____

DATE:

TODAY'S VERSE

REFLECTIONS

PRAYERS

GRATITUDE

DATE:

TODAY'S VERSE

REFLECTIONS

PRAYERS

GRATITUDE

DATE:

TODAY'S VERSE

REFLECTIONS

PRAYERS

GRATITUDE

DATE:

TODAY'S VERSE

REFLECTIONS

PRAYERS

GRATITUDE

DATE:

TODAY'S VERSE

REFLECTIONS

PRAYERS

GRATITUDE

DATE:

TODAY'S VERSE

REFLECTIONS

PRAYERS

GRATITUDE

TODAY'S VERSE

REFLECTIONS

PRAYERS

GRATITUDE

DATE:

TODAY'S VERSE

REFLECTIONS

PRAYERS

GRATITUDE

DATE:

TODAY'S VERSE

REFLECTIONS

PRAYERS

GRATITUDE

DATE:

TODAY'S VERSE

REFLECTIONS

PRAYERS

GRATITUDE

DATE:

TODAY'S VERSE

REFLECTIONS

PRAYERS

GRATITUDE

DATE:

TODAY'S VERSE

REFLECTIONS

PRAYERS

GRATITUDE

DATE:

TODAY'S VERSE

REFLECTIONS

PRAYERS

GRATITUDE

TODAY'S VERSE

REFLECTIONS

PRAYERS

GRATITUDE

✧ ✧ ✦ ✧ ✧

DATE:

TODAY'S VERSE

REFLECTIONS

PRAYERS

GRATITUDE

DATE:

TODAY'S VERSE

REFLECTIONS

PRAYERS

GRATITUDE

DATE:

TODAY'S VERSE

REFLECTIONS

PRAYERS

GRATITUDE

DATE:

TODAY'S VERSE

REFLECTIONS

PRAYERS

GRATITUDE

DATE:

TODAY'S VERSE

REFLECTIONS

PRAYERS

GRATITUDE

DATE:

TODAY'S VERSE

REFLECTIONS

PRAYERS

GRATITUDE

DATE:

TODAY'S VERSE

REFLECTIONS

PRAYERS

GRATITUDE

DATE:

TODAY'S VERSE

REFLECTIONS

PRAYERS

GRATITUDE

DATE:

TODAY'S VERSE

REFLECTIONS

PRAYERS

GRATITUDE

DATE:

TODAY'S VERSE

REFLECTIONS

PRAYERS

GRATITUDE

TODAY'S VERSE

REFLECTIONS

PRAYERS

GRATITUDE

DATE:

TODAY'S VERSE

REFLECTIONS

PRAYERS

GRATITUDE

TODAY'S VERSE

REFLECTIONS

PRAYERS

GRATITUDE

DATE:

TODAY'S VERSE

REFLECTIONS

PRAYERS

GRATITUDE

DATE:

TODAY'S VERSE

REFLECTIONS

PRAYERS

GRATITUDE

DATE:

TODAY'S VERSE

REFLECTIONS

PRAYERS

GRATITUDE

TODAY'S VERSE

REFLECTIONS

PRAYERS

GRATITUDE

TODAY'S VERSE

REFLECTIONS

PRAYERS

GRATITUDE

DATE:

TODAY'S VERSE

REFLECTIONS

PRAYERS

GRATITUDE

DATE:

TODAY'S VERSE

REFLECTIONS

PRAYERS

GRATITUDE

TODAY'S VERSE

REFLECTIONS

PRAYERS

GRATITUDE

DATE:

TODAY'S VERSE

REFLECTIONS

PRAYERS

GRATITUDE

TODAY'S VERSE

REFLECTIONS

PRAYERS

GRATITUDE

DATE:

TODAY'S VERSE

REFLECTIONS

PRAYERS

GRATITUDE

DATE:

TODAY'S VERSE

REFLECTIONS

PRAYERS

GRATITUDE

DATE:

TODAY'S VERSE

REFLECTIONS

PRAYERS

GRATITUDE

DATE:

TODAY'S VERSE

REFLECTIONS

PRAYERS

GRATITUDE

DATE:

TODAY'S VERSE

REFLECTIONS

PRAYERS

GRATITUDE

TODAY'S VERSE

REFLECTIONS

PRAYERS

GRATITUDE

DATE:

TODAY'S VERSE

REFLECTIONS

PRAYERS

GRATITUDE

TODAY'S VERSE

REFLECTIONS

PRAYERS

GRATITUDE

DATE:

TODAY'S VERSE

REFLECTIONS

PRAYERS

GRATITUDE

TODAY'S VERSE

REFLECTIONS

PRAYERS

GRATITUDE

DATE:

TODAY'S VERSE

REFLECTIONS

PRAYERS

GRATITUDE

TODAY'S VERSE

REFLECTIONS

PRAYERS

GRATITUDE

DATE:

TODAY'S VERSE

REFLECTIONS

PRAYERS

GRATITUDE

TODAY'S VERSE

REFLECTIONS

PRAYERS

GRATITUDE

DATE:

TODAY'S VERSE

REFLECTIONS

PRAYERS

GRATITUDE

DATE:

— TODAY'S VERSE —

— REFLECTIONS —

— PRAYERS —

— GRATITUDE —

DATE:

TODAY'S VERSE

REFLECTIONS

PRAYERS

GRATITUDE

DATE:

TODAY'S VERSE

REFLECTIONS

PRAYERS

GRATITUDE

DATE:

TODAY'S VERSE

REFLECTIONS

PRAYERS

GRATITUDE

TODAY'S VERSE

REFLECTIONS

PRAYERS

GRATITUDE

DATE:

TODAY'S VERSE

REFLECTIONS

PRAYERS

GRATITUDE

DATE:

TODAY'S VERSE

REFLECTIONS

PRAYERS

GRATITUDE

DATE:

TODAY'S VERSE

REFLECTIONS

PRAYERS

GRATITUDE

TODAY'S VERSE

REFLECTIONS

PRAYERS

GRATITUDE

DATE:

TODAY'S VERSE

REFLECTIONS

PRAYERS

GRATITUDE

DATE:

TODAY'S VERSE

REFLECTIONS

PRAYERS

GRATITUDE

DATE:

TODAY'S VERSE

REFLECTIONS

PRAYERS

GRATITUDE

TODAY'S VERSE

REFLECTIONS

PRAYERS

GRATITUDE

DATE:

TODAY'S VERSE

REFLECTIONS

PRAYERS

GRATITUDE

Made in United States
North Haven, CT
21 February 2022

16328191R00063